José Martí

ISMAELILLO

Ilustrado por José Luis Fariñas

Edición y corrección: Alena Bastos Baños
Dirección artística y diseño: Alfredo Montoto Sánchez
Ilustración de cubierta e interiores: José Luis Fariñas
Marcación tipográfica: Belinda Delgado Díaz
Emplane: Jacquelin Carbó y Alfredo Montoto Sánchez

© Sobre la presente edición:
   Editorial Letras Cubanas, 2016

ISBN 978-959-10-2095`3

Instituto Cubano del Libro
Editorial Letras Cubanas
Obispo No. 302, esquina a Aguiar
La Habana, Cuba

E-mail: elc@icl.cult.cu
wwwletrascubanas.cult.cu

ISMAELILLO

Hijo:

Espantado de todo, me refugio en ti.

Tengo fe en el mejoramiento humano, en la vida futura, en la utilidad de la virtud, y en ti.

Si alguien te dice que estas páginas se parecen a otras páginas, diles que te amo demasiado para profanarte así. Tal como aquí te pinto, tal te han visto mis ojos. Con esos arreos de gala te me has aparecido. Cuando he cesado de verte en una forma, he cesado de pintarte. Esos riachuelos han pasado por mi corazón.

¡Lleguen al tuyo!

Príncipe enano

Para un príncipe enano
Se hace esta fiesta.
Tiene guedejas rubias,
Blandas guedejas;
Por sobre el hombro blanco
Luengas le cuelgan.
Sus dos ojos parecen
Estrellas negras:
Vuelan, brillan, palpitan,
Relampaguean!
Él para mí es corona,
Almohada, espuela.

Mi mano, que así embrida
Potros y hienas,
Va, mansa y obediente,
Donde él la lleva.
Si el ceño frunce, temo;
Si se me queja,—
Cual de mujer, mi rostro
Nieve se trueca:
Su sangre, pues, anima
Mis flacas venas:
¡Con su gozo mi sangre
Se hincha, o se seca!
Para un príncipe enano
Se hace esta fiesta.

¡Venga mi caballero
Por esta senda!
¡Éntrese mi tirano
Por esta cueva!
Tal es, cuando a mis ojos
Su imagen llega,
Cual si en lóbrego antro

Pálida estrella,
Con fulgores de ópalo
Todo vistiera.
A su paso la sombra
Matices muestra,
Como al sol que las hiere
Las nubes negras.
¡Heme ya, puesto en armas,
En la pelea!
Quiere el príncipe enano
Que a luchar vuelva:
¡Él para mí es corona,
Almohada, espuela!
Y como el sol, quebrando
Las nubes negras,
En banda de colores
La sombra trueca,—
Él, al tocarla, borda
En la onda espesa,
Mi banda de batalla
Roja y violeta.
¿Conque mi dueño quiere

Que a vivir vuelva?
¡Venga mi caballero
Por esta senda!
¡Éntrese mi tirano
Por esta cueva!
¡Déjeme que la vida
A él, a él ofrezca!
Para un príncipe enano
Se hace esta fiesta.

14

Sueño

Yo sueño con los ojos
Abiertos, y de día
Y de noche siempre sueño.
Y sobre las espumas
Del ancho mar revuelto,
Y por entre las crespas
Arenas del desierto,
Y del león pujante,
Monarca de mi pecho,
Montado alegremente
Sobre el sumiso cuello,
Un niño que me llama
Flotando siempre veo!

Brazos fragantes

Sé de brazos robustos,
Blandos, fragantes;
Y sé que cuando envuelven
El cuello frágil,
Mi cuerpo, como rosa
Besada, se abre,
Y en su propio perfume
Lánguido exhálase.
Ricas en sangre nueva
Las sienes laten;
Mueven las rojas plumas
Internas aves;

Sobre la piel, curtida
De humanos aires,
Mariposas inquietas
Sus alas baten;
Savia de rosa enciende
Las muertas carnes!—
Y yo doy los redondos
Brazos fragantes,
Por dos brazos menudos
Que halarme saben,
Y a mi pálido cuello
Recios colgarse,
Y de místicos lirios Collar labrarme!
¡Lejos de mí por siempre, Brazos fragantes!

Mi caballero

Por las mañanas
Mi pequeñuelo
Me despertaba
Con un gran beso.
Puesto a horcajadas
Sobre mi pecho,
Bridas forjaba
Con mis cabellos.
Ebrio él de gozo,
De gozo yo ebrio,
Me espoleaba
Mi caballero:

¡Qué suave espuela
Sus dos pies frescos!
¡Cómo reía
Mi jinetuelo!
Y yo besaba
Sus pies pequeños,
Dos pies que caben
En sólo un beso!

26

Musa traviesa

¿Mi musa?
Es un diablillo
Con alas de ángel.
¡Ah, musilla traviesa,
Qué vuelo trae!

Yo suelo, caballero
En sueños graves,
Cabalgar horas luengas
Sobre los aires.
Me entro en nubes rosadas,
Bajo a hondos mares,

Y en los senos eternos
Hago viajes.
Allí asisto a la inmensa
Boda inefable,
Y en los talleres huelgo
De la luz madre:
Y con ella es la oscura
Vida, radiante,
Y a mis ojos los antros
Son nidos de ángeles!
Al viajero del cielo
¿Qué el mundo frágil?
Pues ¿no saben los hombres
Qué encargo traen?
¡Rasgarse el bravo pecho,
Vaciar su sangre,
Y andar, andar heridos
Muy largo valle,
Roto el cuerpo en harapos,
Los pies en carne,
Hasta dar sonriendo
—¡No en tierra!— exánimes!

Y entonces sus talleres
La luz les abre,
Y ven lo que yo veo:
¿Qué el mundo frágil?
Seres hay de montaña,
Seres de valle,
Y seres de pantanos
Y lodazales.

De mis sueños desciendo,
Volando vanse,
Y en papel amarillo
Cuento el viaje.
Contándolo, me inunda
Un gozo grave:—
Y cual si el monte alegre,
Queriendo holgarse
Al alba enamorando
Con voces ágiles,
Sus hilillos sonoros
Desanudase,
Y salpicando riscos,

Labrando esmaltes,
Resfrescando sedientas
Cálidas cauces,
Echáralos risueños
Por falda y valle,—
Así, al alba del alma
Regocijándose,
Mi espíritu encendido
Me echa a raudales
Por las mejillas secas
Lágrimas suaves.
Me siento, cual si en magno
Templo oficiase;
Cual si mi alma por mirra
Virtiese al aire;
Cual si en mi hombro surgieran
Fuerzas de Atlante;
Cual si el sol en mi seno
La luz fraguase:—
Y estallo, hiervo, vibro,
Alas me nacen!
Suavemente la puerta

Del cuarto se abre,
Y éntranse a él gozosos
Luz, risas, aire.
Al par da el sol en mi alma
Y en los cristales:
¡Por la puerta se ha entrado
Mi diablo ángel!
¿Qué fue de aquellos sueños,
De mi viaje,
Del papel amarillo,
Del llanto suave?
Cual si de mariposas
Tras gran combate
Volaran alas de oro
Por tierra y aire,
Así vuelan las hojas
Do cuento el trance.
Hala acá el travesuelo
Mi paño árabe;
Allá monta en el lomo
De un incunable;
Un carcax con mis plumas

Fabrica y átase;
Un sílex persiguiendo
Vuelca un estante,
Y ¡allá ruedan por tierra Versillos frágiles,
Brumosos pensadores,
Lópeos galanes!
De águilas diminutas
Puéblase el aire: ¡
Son las ideas, que ascienden,
Rotas sus cárceles!

Del muro arranca, y cíñese,
Indio plumaje:
Aquella que me dieron
De oro brillante,
Pluma, a marcar nacida
Frentes infames,
De su caja de seda
Saca, y la blande:
Del sol a los requiebros
Brilla el plumaje,
Que baña en áureas tintas

Su audaz semblante.
De ambos lados el rubio
Cabello al aire,
A mí súbito viénese
A que lo abrace.
De beso en beso escala
Mi mesa frágil;
¡Oh, Jacob, mariposa,
Ismaelillo, árabe!
¿Qué ha de haber que me guste
Como mirarle
De entre polvo de libros
Surgir radiante,
Y, en vez de acero, verle
De pluma armarse,
Y buscar en mis brazos
Tregua al combate?
Venga, venga, Ismaelillo:
La mesa asalte.
Y por los anchos pliegues
Del paño árabe
En rota vergonzosa

Mis libros lance,
Y siéntese magnífico
Sobre el desastre,
Y muéstreme riendo,
Roto el encaje—
—¡Qué encaje no se rompe
En el combate!—
Su cuello, en que la risa
Gruesa onda hace!
Venga, y por cauce nuevo
Mi vida lance,
Y a mis manos la vieja
Péñola arranque,
Y del vaso manchado
La tinta vacie!
¡Vaso puro de nácar:
Dame a que harte
Esta sed de pureza;
Los labios cánsame!
¿Son estas que lo envuelven
Carnes, o nácares?
La risa, como en taza

De ónice árabe,
En su incólume seno
Bulle triunfante:
(Hete aquí, hueso pálido,
Vivo y durable!
Hijo soy de mi hijo`
Él me rehace!

Pudiera yo, hijo mío,
Quebrando el arte
Universal, muriendo
Mis años dándote,
Envejecerte súbito,
La vida ahorrarte!—
Mas no: que no verías
En horas graves
Entrar el sol al alma
Y a los cristales!
Hierva en tu seno puro
Risa sonante:
Rueden pliegues abajo
Libros exangües:

Sube, Jacob alegre,
La escala suave:
Ven, y de beso en beso
Mi mesa asaltes:—
¡Pues ésa es mi musilla,
Mi diablo ángel!
¡Ah, musilla traviesa,
Qué vuelo trae!

38

Mi reyecillo

Los persas tienen
Un rey sombrío;
Los hunos foscos
Un rey altivo;
Un rey ameno
Tienen los íberos;
Rey tiene el hombre,
Rey amarillo:
¡Mal van los hombres
Con su dominio!
Mas yo vasallo
De otro rey vivo,—

Un rey desnudo,
Blanco y rollizo:
Su cetro —un beso!
Mi premio —un mimo!
Oh! cual los áureos
Reyes divinos
De tierras muertas,
De pueblos idos
—¡Cuando te vayas,
Llévame, hijo!—
Toca en mi frente
Tu cetro omnímodo;
Úngeme siervo,
Siervo sumiso:
¡No he de cansarme
De verme ungido!
¡Lealtad te juro,
Mi reyecillo!
Sea mi espalda
Pavés de mi hijo:
Pasa en mis hombros
El mar sombrío:

42

Muera al ponerte
En tierra vivo:—
Mas si amar piensas
El amarillo
Rey de los hombres,
¡Muere conmigo!
¿Vivir impuro?
¡No vivas, hijo!

43

Penachos vívidos

Como taza en que hierve
De transparente vino
En doradas burbujas
El generoso espíritu;

Como inquieto mar joven
Del cauce nuevo henchido
Rebosa, y por las playas
Bulle y muere tranquilo;

Como manada alegre
De bellos potros vivos
Que en la mañana clara

Muestran su regocijo,
Ora en carreras locas,
O en sonoros relinchos,
O sacudiendo al aire
El crinaje magnífico;—

Así mis pensamientos
Rebosan en mí vívidos,
Y en crespa espuma de oro
Besan tus pies sumisos,
O en fúlgidos penachos
De varios tintes ricos,
Se mecen y se inclinan
Cuando tú pasas —hijo!

Hijo del alma

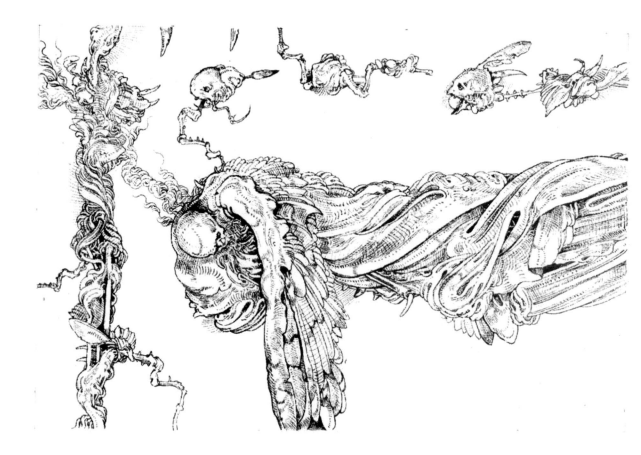

Tú flotas sobre todo,
Hijo del alma!
De la revuelta noche
Las oleadas,
En mi seno desnudo
Déjante al alba;
Y del día la espuma
Turbia y amarga,
De la noche revuelta
Te echa en las aguas.
Guardiancillo magnánimo,
La no cerrada

Puerta de mi hondo espíritu
Amante guardas;
Y si en la sombra ocultas
Búscanme avaras,
De mi calma celosas,
Mis penas varias,—
En el umbral oscuro
Fiero te alzas,
Y les cierran el paso
Tus alas blancas!
Ondas de luz y flores
Trae la mañana,
Y tú en las luminosas
Ondas cabalgas.
No es, no, la luz del día
La que me llamà,
Sino tus manecitas
En mi almohada
Me hablan de que estás lejos:
(Locuras me hablan!
Ellos tienen tu sombra;
¡Yo tengo tu alma!

Ésas son cosas nuevas,
Mías y extrañas.
Yo sé que tus dos ojos
Allá en lejanas
Tierras relampaguean,—
Y en las doradas
Olas de aire que baten
Mi frente pálida,
Pudiera con mi mano,
Cual si haz segara
De estrellas, segar haces
De tus miradas!
¡Tú flotas sobre todo,
Hijo del alma!

53

Amor errante

Hijo, en tu busca
Cruzo los mares:
Las olas buenas
A ti me traen:
Los aires frescos
Limpian mis carnes
De los gusanos
De las ciudades;
Pero voy triste
Porque en los mares
Por nadie puedo
Verter mi sangre.

¿Qué a mí las ondas
Mansas e iguales?
¿Qué a mí las nubes,
Joyas volantes?
¿Qué a mí los blandos
Juegos del aire?
¿Qué la iracunda
Voz de huracanes!
A éstos— ¡la frente
Hecha a domarles!
A los lascivos
Besos fugaces
De las menudas
Brisas amables,—
Mis dos mejillas
Secas y exangües,
De un beso inmenso
Siempre voraces!
Y ¿a quién, el blanco
Pálido ángel
Que aquí en mi pecho
Las alas abre

Y a los cansados
Que de él se amparen
Y en él se nutran
Busca anhelante?
¿A quién envuelve
Con sus suaves
Alas nubosas
Mi amor errante?
Libres de esclavos
Cielos y mares,
Por nadie puedo
Verter mi sangre!
Y llora el blanco
Pálido ángel:
¡Celos del cielo
Llorar le hacen,
Que a todos cubre
Con sus celajes!
Las alas níveas
Cierra, y ampárase
De ellas el rostro
Inconsolable:—

Y en el confuso
Mundo fragante
Que en la profunda
Sombra se abre,
Donde en solemne
Silencio nacen
Flores eternas
Y colosales,
Y sobre el dorso
De aves gigantes
Despiertan besos
Inacabables,—
Risueño y vivo
Surge otro ángel!

Sobre mi hombro

Ved: sentado lo llevo
Sobre mi hombro:
Oculto va, y visible
Para mí sólo!
Él me ciñe las sienes
Con su redondo
Brazo, cuando a las fieras
Penas me postro:—
Cuando el cabello hirsuto
Yérguese y hosco,
Cual de interna tormenta
Símbolo torvo,

Como un beso que vuela
Siento en el tosco
Cráneo: su mano amansa
El bridón loco!—
Cuando en medio del recio
Camino lóbrego,
Sonrío, y desmayado
Del raro gozo,
La mano tiendo en busca
De amigo apoyo,—
Es que un beso invisible
Me da el hermoso
Niño que va sentado
Sobre mi hombro.

Tábanos fieros

Venid, tábanos fieros,
Venid, chacales,
Y muevan trompa y diente
Y en horda ataquen,
Y cual tigre a bisonte
Sítienme y salten
!Por aquí, verde envidia!
Tú, bella carne,
En los dos labios muérdeme:
Sécame: mánchame!
Por acá, los vendados
Celos voraces!

Y tú, moneda de oro,
Por todas partes!
De virtud mercaderes,
Mercadeadme!
Mató el Gozo a la Honra:
Venga a mí, —y mate!

Cada cual con sus armas
Surja y batalle:
El placer, con su copa;
Con sus amables
Manos, en mirra untadas,
La virgen ágil;
Con su espada de plata
El diablo bátame:—
La espada cegadora
No ha de cegarme!

Asorde la caterva
De batallantes:
Brillen cascos plumados
Como brillasen
Sobre montes de oro

Nieves radiantes:
Como gotas de lluvia
Las nubes lancen
Muchedumbre de aceros
Y de estandartes:
Parezca que la tierra,
Rota en el trance,
Cubrió su dorso verde
De áureos gigantes:
Lidiemos, no a la lumbre
Del sol suave,
Sino el funesto brillo
De los cortantes
Hierros: rojos relámpagos
La niebla tajen:
Sacudan sus raíces
Libres los árboles:
Sus faldas trueque el monte
En alas ágiles.
Clamor óigase, como
Si en un instante
Mismo, las almas todas

Volando ex-cárceres,
Rodar a sus pies vieran
Su hopa de carnes:
Cíñame recia veste
De amenazantes
Astas agudas: hilos
Tenues de sangre
Por mi piel rueden leves
Cual rojos áspides:
Su diente en lodo afilen
Pardos chacales:
Lime el tábano terco
Su aspa volante:
Muérdame en los dos labios
La bella carne:—
Que ya vienen, ya vienen
Mis talismanes!
Como nubes vinieron
Esos gigantes:
¡Ligeros como nubes
Volando iránse!

La desdentada envidia
Irá, secas las fauces,
Hambrienta, por desiertos
Y calcinados valles,
Royéndose las mondas
Escuálidas falanges;
Vestido irá de oro
El diablo formidable,
En el cansado puño
Quebrada la tajante;
Vistiendo con sus lágrimas
Irá, y con voces grandes
De duelo, la Hermosura
Su inútil arreaje:—
Y yo en el agua fresca
De algún arroyo amable
Bañaré sonriendo
Mis hilillos de sangre.

Ya miro en polvareda
Radiosa evaporarse
Aquellas escamadas
Corazas centelleantes:

Las alas de los cascos
Agítanse, debátense,
Y en el casco de oro en fuga
Se pierde por los aires.
Tras misterioso viento
Sobre la hierba arrástranse,
Cual sierpes de colores,
Las flámulas ondeantes.
Junta la tierra súbito
Sus grietas colosales
Y echa su dorso verde
Por sobre los gigantes:
Corren como que vuelan

Tábanos y chacales,
Y queda el campo lleno
De un humillo fragante.
De la derrota ciega
Los gritos espantables
Escúchanse, que evocan
Callados capitanes;
Y mésase soberbia
El áspero crinaje,

Y como muere un buitre
Expira sobre el valle!
En tanto, yo a la orilla
De un fresco arroyo amable,
Restaño sonriendo
Mis hilillos de sangre.

No temo yo ni curo
De ejércitos pujantes,
Ni tentaciones sordas,
Ni vírgenes voraces!
Él vuela en torno mío;
Él gira, él para, él bate;
Aquí su escudo opone,
Allí su clava blande;
A diestra y a siniestra
Mandobla, quiebra, esparce:
Recibe en su escudillo
Lluvia de dardos hábiles;
Sacúdelos al suelo,
Bríndalo a nuevo ataque.
Ya vuelan, ya se vuelan

Tábanos y gigantes!—
Escúchase el chasquido
De hierros que se parten;
Al aire chispas fúlgidas
Suben en rubios haces;
Alfómbrase la tierra
De dagas y montantes:
¡Ya vuelan, ya se esconden
Tábanos y chacales!—
Él como abeja zumba,
Él rompe y mueve el aire,
Detiénese, ondëa, deja
Rumor de alas de ave:
Ya mis cabellos roza;
Ya sobre mi hombro párase;
Ya a mi costado cruza;
Ya en mi regazo lánzase;
¡Ya la enemiga tropa
Huye, rota y cobarde!
¡Hijos, escudos fuertes,
De los cansados padres!
¡Venga mi caballero,

Caballero del aire!¡
Véngase mi desnudo
Guerrero de alas de ave,
Y echemos por la vía
Que va a ese arroyo amable,
Y con sus aguas frescas
Bañe mi hilo de sangre!
Caballeruelo mío!
Batallador volante!

Tórtola blanca

El aire está espeso,
La alfombra manchada,
Las luces ardientes,
Revuelta la sala;
Y acá entre divanes
Y allá entre otomanas,
Tropiézase en restos
De tules, —o de alas!
Un baile parece
De copas exhaustas!
Despierto está el cuerpo,
Dormida está el alma;

¡Qué férvido el valse!
¡Qué alegre la danza!
(Qué fiera hay dormida
Cuando el baile acaba!

Detona, chispea,
Espuma, se vacia,
Y expira dichosa
La rubia champaña:
Los ojos fulguran,
Las manos abrasan,
De tiernas palomas
Se nutren las águilas;
Don Juanes lucientes
Devoran Rosauras;
Fermenta y rebosa
La inquieta palabra;

Estrecha en su cárcel
La vida incendiada,
En risas se rompe
Y en lava y en llamas;
Y lirios se quiebran,

Y violas se manchan,
Y giran las gentes
Y ondulan y valsan;
Mariposas rojas
Inundan la sala,
Y en la alfombra muere
La tórtola blanca.

Yo fiero rehúso
La copa labrada;
Traspaso a un sediento
La alegre champaña;
Pálido recojo
La tórtola hollada;
Y en su fiesta dejo
Las fieras humanas;—
Que el balcón azotan
Dos alitas blancas
Que llenas de miedo
Temblando me llaman.

Valle lozano

Dígame mi labriego
Cómo es que ha andado
En esta noche lóbrega
Este hondo campo?
Dígame de qué flores
Untó el arado,
Que la tierra olorosa
Trasciende a nardos?
Dígame de qué ríos
Regó este prado,
Que era un valle muy negro
Y ora es lozano?

Otros, con dagas grandes
Mi pecho araron:
Pues ¿qué hierro es el tuyo
Que no hace daño?
Y esto dije— y el niño
Riendo me trajo
En sus dos manos blancas
Un beso casto.

86

Mi despensero

Qué me das? Chipre?
Yo no lo quiero:
Ni rey de bolsa
Ni posaderos
Tienen del vino
Que yo deseo;
Ni es de cristales
De cristaleros
La dulce copa
En que lo bebo. Mas está ausente
Mi despensero,
Y de otro vino
Yo nunca bebo.

Rosilla nueva

Traidor! Con qué arma de oro
Me has cautivado?
Pues yo tengo coraza
De hierro áspero.
Hiela el dolor: el pecho
Trueca en peñasco.

Y así como la nieve,
Del sol al blando
Rayo, suelta el magnífico
Manto plateado,
Y salta en hilo alegre
Al valle pálido,

Y las rosillas nuevas
Riega magnánimo;—
Así, guerrero fúlgido,
Roto a tu paso,
Humildoso y alegre
Rueda el peñasco;
Y cual lebrel sumiso
Busca saltando
A la rosilla nueva
Del valle pálido.

Índice

98

ediciones caribe
UEB Gráfica Haydeé Santamaria

6 000 ejemplares

Enero - 2017